가장 무거운 마음은
시가 되고

종종
그대가 되어요

김마음
단상집

사라진대도 살아가는 건,

살아진대도 사랑하는 건,

photography & words. @maumxscenes
official instagram. @maumxkim

* QR코드를 통해 사진계정에서 음악큐레이션과 함께
  글과 사진을 감상하실 수 있습니다.
* 시적 표현을 위한 비문이 포함되어 있습니다.

들어가며,

어쩌다 드러난 글 _____

나의 글은 숨바꼭질이 되지 않았으면 합니다

술래잡기 마냥 어딘가에 있을 것 같아
구석구석 찾다 발견한 필요의 글보다는

지친 등을 기댄 벽,
그 틈에 피어있는 꽃이거나
질식할 것 같은 마음에 도망치듯 나온 골목,
나도 모르게 숨을 달래주는 밤공기처럼

어쩌다 드러나
그대 마음 한구석 몰래 싹트는 글이었으면.

1,

사라진대도
살아가는 건
살아진대도
사랑하는 건

2.

사라진대도
살아가는 건
살아진대도
사랑하는 건

3,

사라진대도
살아가는 건
살아진대도
사랑하는 건

4,

사라진대도
살아가는 건
살아진대도
사랑하는 건

1부

김마음 · 단상집

사라진대도

파도로 끄덕인 바다 _____

바다 앞에서는
내 까짓 인생 별거 아니라서,
이 비루한 생명체에게는
바다조차도 우주 같아서

그 말인즉슨
우주는, 바다는
내가 무슨 말을 하든
그저 파도로 끄덕여주지 않을까 싶어서

오늘 바다를 오래 보는 것은
그만큼 고인 것이 많은 터

아,
모두의 고해성사를 듣고는
저 많은 파도들 끄덕이고 있었구나

적어도 저 파도 하나에는
내 이야기 품고 있겠구나

고로 나는 바다 앞에서
참회한다.

봄은 사랑이어라

봄은 채 정의되기도 전에
이미 이만큼이나 우리 곁에 와있었다

우리의 시선이 초록에 닿기도 전에
우리의 마음이 출발선을 딛기도 전에
우리의 외투가 아래팔에 늘어지기도 전에
이미 이토록이나 우리를 에워싸고 있었다

봄을 채 짐작도 전에
우리의 손금 이미 빨간 꽃에 물들고
우리의 가슴 이미 녹색 내음을 내고 있으니

시나브로 내 마음에 숲을 이룬 너는 봄이었구나
아, 봄은 사랑이었구나
사랑은 완연히 봄이었구나.

낮게 걸린 책들 ───────────────

사람의 눈높이에서 멀어져 버린 것들
책방 가장 낮은 칸에 묵혀있는 책 하나 꺼내본다

너는 왜 사랑을 받지 못한 걸까
언제부터 받지 못한 사랑일까
괜히 따지다가
나까지 그러지 말자- 애써 마음먹고는
그보다 이를 썼던 이의 마음을 더듬어 본다

온통 제 속을 드러내려는 것들 사이로
속살을 내보이긴커녕
누구의 손때라도 한번 묻어보고 싶은데
그것 하나 쉽지 않은 세상이라,
결국 나도 껍데기에 끌리는 눈이라
내심 본능이 얄밉다

나의 마음도 읽어줄 이 없는 마음이면 어쩌나
어렵사리 종이 위라도 풀어낸 마음이
끝내 어느 눈빛 한번 못 쬐고 바래면 어쩌지

그렇게 낮게 걸린 책들에
눈빛 한 번, 햇볕 한 번, 바람 한 번
들여주는게 습관이 되었다.

그놈의 서른이 뭐라고

그놈의 서른이 뭐라고
너를 나를 한 그릇에 담으려 하나

늘 서툴고 무엇 하나 뚜렷하지 않은데
기껏해야 조악한 흉내뿐인데
세상은 서른으로 어른을 강요하네

서른이라는 둥글둥글한 단어는
왜 이리 날카로운 말이 되었는지
서른이라는 순한 단어는
왜 이리도 모진 말이 되었나

서른은 언제부터 지독한 악역을 맡아
겁박하듯 마음의 색을 지우려 하나

우린 왜 서른에게
마음을 삼키도록 허락했는가
왜 이 많은 걸 잃고도 자랑스럽다 하였는가

그놈의 서른이 뭐라고
왜 나는 서른에게
스물의 마음을 이토록 쉬이 내어주었는가.

오래된 것들을 좋아합니다 _____

오래된 것들을 좋아합니다
세월은 기어코 애착을 불러와서
안쓰럽기도 뿌듯하기도 고맙기도 한
무척 간지러운 감정이 들거든요

오래된 것들에 미안합니다
다소 민망한 변명을 늘어놓자면
소홀했을지라도 푸대접을 한 적은 없어요
간간이 옮겼을지언정 버리려 한 적 없어요

오래된 것들에 고맙습니다
비록 산화되어 몸이 부르튼다 하여도
우직하게 그 자리를 지켜냈기에
무심결에 지나친 몇 번의 걸음에도
무심히 긴 긴 추억이 되어주었어요

오래된 것들은 시절을 껴안아
시선을 둘 때면
잠시나마 그 시간을 엿보고
손길 닿을 때면
잠시나마 그 시간을 쓰다듬을 수 있어요

그렇게 오래된 것들은 자연스레 낭만이 됩니다
그래서 나는 오래된 것들을 좋아합니다.

시간의 발자국에 고인 _____

소중한 순간임을 알았던 이의 슬픔
소중한 순간임을 몰랐던 이의 아픔
결국 시간의 발자국에 고여버린 질퍽한 마음들

허나 우리는 계속해서 발자국을 만드는 사람들
너무 오래 웅덩이를 보는 자는 발자국에 살게 돼

발자국을 남겼음은
다음 발자국을 남길 완전한 이유

발을 디디지 않으면, 발자국을 떼어내지 못하면
발자취가 그려낸 우리의 찬란한 그림은
끝내 알 수 없을 테니

발자국은
우리, 멈추지 않고
제각각의 모양으로 꿋꿋이 걷고 있음이다.

하얀 후회

새치가 늘어가는데
새치만큼 자랑도 나이테처럼 차오르면 좋으련만
결국 새치만큼 늘어나는 건 푸념뿐

아직 제 나이를 인정할 준비조차 못 하는데
머리의 잡초들이 정반대의 색을 띠며 요란하다

마치 부끄러움이나 회한 같은 것
반사되는 하얀 선들은 거울로 내 속을 긁는다

차라리 모두 하얗게 세어버리면
누군가는 세월의 훈장으로 봐주겠지

차라리 골라내지도 못하도록 많아진다면
그만큼의 후회를 감당하고 살아왔다는
자랑이 될 수 있지 않을까

그럼에도 오늘만큼은
이 보기 싫은 한 올, 한 올
일일이 다시 잘라낸다.

시들어도 꼿꼿하게_____

비록 날은 기울어도
결코 저물지 않을 용기를 주소서

비록 기우는 시듦에도 내 잔향,
저 유리병 한가득 족히 채우고도 남으니

시듦이 멈춤은 아니니
시들어 자책이 되지 않게

시들어도 꼿꼿하게
시듦이 자랑이 되는 나이기를.

눈사람도 결국 사람이라 _____

눈사람도 결국 사람이라
스스로 태어나지 못해
누군가의 손길로, 누군가의 정성으로
무언가를 빚어내겠다는 단단한 마음으로
그렇게 태어나지 않는가

아이들의 친구로, 사랑의 증표로,
절대 검은 마음으로는 만들어지지 않으니
추위도 잊은 얼음장 같은 손으로
똘똘 뭉치고 굴려 세워진 너일 테니

너의 차가운 몸 하나에
모든 가슴 한 편 나른히 녹여지니

너와 같은 사람이 되는 것이
어디 그리 쉬운 일이랴

그렇게 너는 이 겨울을 지켜준
참 고마운 사람이다.

사실 겨울은 따뜻하다_____

겨울은 앙상함도 아우르는 계절
가여운 몰골들 외톨이로 두지 않고
자신의 마땅한 장면으로 품어버렸다

그것도 부족했는지
벌거벗은 모습 위 살포시 두툼한 눈꽃 얹어
잎사귀 대신하라며 덮어준다

그래,
사실 겨울은 이토록 따뜻한 존재였다.

노을에 사는 이들이 있다_____

노을을 한참을 들여다보는 이들에겐
노을에 사는 이들이 있다

전해지지 않을 서로의 안부를 묻고
어루만지지 못할 서로의 얼굴을
오롯이 눈길로 쓰다듬고는

다시 한번, 사랑한다ㅡ
서로 중얼거려보는
뜨거운 시간이 있다.

매일의 붉은 단편영화

나의 바람은
노을이 오를 때부터 저물 때까지
그 모든 색과 자랑에 대해 100편의 시를 쓰는 것

오래 보아야 주워 담는 기억이 있음을 아는지
지긋이 바라봐도 눈부시지 않은
노을의 친절한 온도가 좋다

거대한 캔버스 위 흩뿌리는 수채화
하늘이 마음껏 부리는 이 재주를,
이 매일의 붉은 단편영화를
우리 저무는 날까지 오래오래 누릴 수 있기를.

친구들과의 대화

지금의 우린 어디로 가나
그때의 우린 어디로 갔나
지금의 우린 뻐근해진 마음에
그때의 우릴 한숨으로 더듬네.

참 고맙습니다

점점 사랑받을 일이 없어져 갑니다

가만있어도 제 향을 뿜내던 날은 가고
남은 향이라도 품으려 애쓰는 날이 옵니다

사람들이 모여들던 날에서
사람들이 스쳐가는 날들로
곧 사람들이 떠나가는 날들이 올 텐데

이쯤 되니
싫어하던 사람도 어느덧 안쓰러워지고
좋아하던 사람은 더더욱 사랑스러워집니다
미움에 인색해지고 무더지며
사랑에 관대하고 민감해집니다

이런 내 곁을 지켜주는 이들이 얼마나 고마운지,
친구랍시고 가족이랍시고 연인이랍시고
그런 이름을 달고 있어주는 이들이 얼마나 소중한지
점점 더 깨닫게 되는 건 세월의 선물인가 봅니다

이런 나의 곁을
굳이 아직까지도 지켜주는 그대들

참 고맙습니다.

여름은 구겨져있다

구겨져 있고 울퉁불퉁한 것이
외려 자연스럽고 마땅하다면,

갈라놓은 듯 단정한 수평선보다는
각기 제멋대로 기웃기웃 머리를 내민
섬들의 바다가 더 자연스럽고

깔끔히 다려진 셔츠보다는
꺼끌꺼끌 구겨진 면 옷에 손이 가고

보송보송 매끈한 피부보다는
한껏 찌그러지고 번들번들한 표정이 어울린다면,

저기 풍경도 휘청휘청 구불구불
여기 사람도 휘청휘청 구불구불
모든 시야에 아지랑이 핀 지금은 여름이 맞다.

매미를 울음으로 기억한다면 _____

어째서 너는 울어야 사는 생명이 되었나

살기 위해 우는 건지, 울기 위해 사는 건지
단순히 들어서는 악에 받힌 외침 같은데
네게는 마침내 세상에 나온
기쁨의 세레나데일 것도 같아서

그 오랜 땅의 시간 끝에
고작 한 달도 안 되는 일생이란 것을 알아
목 놓아 우는 걸지도 몰라서

바스스 부스러기가 된 너의 마지막을 보며
정해지지 않은 나의 끝에도
부르짖음으로 기억해 주는 이 있다면 참 좋겠다-
하며 널 울음으로 기억한다.

무지개다리

무지개를 보면 언제부턴가
감탄보다는 멍하니 쳐다보는 시간이 늘었다

네가 한번은 밟고 지났을 다리
너의 발자국, 너의 발도장
번져있지만 여전히 보일 것 같아서

너의 마지막 길에
정말 이름처럼 무지개가 피어 있었다면
산책 내내 뒤돌아 날 확인해야만 했던 그 불안을
넌 잠시 잊었을 것이다

호기심 그득하던 그 눈동자에
오직 만연한 무지개만을 가득 안고
총총 총총
그렇게 무사히 다리를 건넜을 것이다

혹여나 뒤돌아본다면 내가 버티지 못할 것 같아
제발 앞만 보고 가달라고
애원하고 기도하며
그렇게 너를 보냈다

괜찮아– 괜찮아–
나는 아무렴 널 사랑할 테니
너를 홀로 둔 적 단 한 번도 없으니
지금 이 순간도 늘 네 뒤편에 있을 테니

뒤돌아 보는 눈 말고
오직 무지개 담은 눈으로만
쭈욱–
앞으로, 앞으로만 가라고

번져가는 무지개를 보며
그렇게 너를 보냈다.

바다가 잉태한 태양 _____

모두가 잠든 심야,
아무도 모르는 사이
바다가 잉태하여
핏덩이로 떠올랐다

구름에 얼굴 문질러
뽀얘진 낯빛으로
기어코 저 위까지 거슬러 올라간다

그렇게 모든 아래의 정수리를 뜨겁게 달구고는
다시 어미의 품으로 돌아가
검게, 깊게 잠이 든다.

아무것도 모른 채 지켜냈다 _____

무언가를 지킨다는 것은
꽤나 쓸쓸하고 막막한 일

그중에서도 사랑하는 이를 지킨다는 것은
단연 자신조차 버릴 수도 있다는,
미리 알았다면 감히 감당이 어려울 각오

어쩌면 다짐이라는 것은
서툴기에, 처음이기에, 무지에서 시작되는 일
위대함은 늘 무모함에서 비롯되니까

그렇게 우리 아빠는 엄마는
아무것도 모른 채 우리를 지켜냈다.

2부

김마음 · 단상집

살아가는 건

글을 쓴다는 것은 _____

글을 쓴다는 것은

때로는 다짐의 기록
때로는 상처의 투정
때로는 추억의 각인
때로는 일상의 발견

시간의 현란함에 묻혀
삶의 아기자기함들을 자칫 흘려보낼까
홀로 잠깐!을 외치며 기어이 적어낸다

무엇인가로 향했던 마음을
종이에 파고드는 잉크로 어렴풋이 새겨놓으니

기록을 다짐한 순간이 훼손되지 않도록
참 고심스레 짜낸 말들이
다시 그날의 불씨에 바람을 불어넣는다

결국 글을 쓴다는 것은
나에겐
오랜 다짐을 덮어쓰고 또 덮어쓰는 분투
굳으려는 마음을 두드리고 또 두드리는 작업
기억의 저장고를 덧대고 또 덧대는 몸부림이다.

이탈자의 운명

우리는

이탈이 아닌 방향이었다고
밀려남이 아닌 의지였다고
도망이 아닌 선택이었다고
끊임없이 해명해야 하는 일

구태여 모두의 길이 아닌 섬의 길을 향하는 일

수많은 의문과 물음에
말보다는 쓴웃음으로,
설명보다는 얼버무림으로,
나를 이해시키기보다
나를 깎아내리는 게 편한 일

무엇보다 나의 길에, 나의 시선에
나의 의구심을 떨쳐내야 하는 일

응원하는 이 하나 없이
내 스스로를 토닥여줄 줄 알아야 하는 일

빗나감 또한 번듯한 길이 될 수 있는 노릇이라고
들어선 이 길 위에 분명한 횃불을 쥐고
망설임 없이 단단히 디뎌야 하는 일.

내 싹은 자라고 있는가

자라지 못한 이유가
싹이 트지 못한 것인지
싹이 잘려나간 것인지
싹이 애초에 없었던 것인지

제 정답이 있을 리 없는 질문에
나는 밤마다 내 흙을 뒤적이고 다시 다진다

이 지긋지긋한 불확신은
나를 갉아먹을지 곧추세울지
결론은 도로 불확신인 쳇바퀴

어쩌면,
제 눈동자를 마주할 수 없듯
애초에 제 싹은 볼 수 없을지도

그저,
제 눈에 보이지 않는 심장도 이리 뛰고 있으니
제 눈에 보이지 않을 싹도 단단히 박혀 있다고

그래,
그런 묵묵한 마음이 씨가 되고
싹을 지켜내려 떨군 마음이 빗물로
꽃봉오리를 다짐한 마음이 햇살이 될 테니

그렇게 저 꽃들 한 장 한 장 펼쳐진 것일 테니

싹을 의심하는 나 말고
꽃을 피우려는 나만 있으면,

이미 싹은 자라고 있을 테다.

마음을 누르는 이에게 _____

뜨거운 것은 뜨기 마련인데
그런 마음을 내리누르라는 건
너무 어려운 일 아닌가요

여태까지 꾹 참아왔잖아요, 늘 버틴 거잖아요
이미 너무 오래 깔고 앉아
자신이 구겨진지도 모르고 고여있는
저 바보 같은 마음이 너무 안쓰럽잖아요

이제는 뜨거운 것은 뜨거운 대로
날아오르려는 것은 날아오르라고
오래 억눌린 만큼 용수철처럼 튀어 올라
누구보다 화려한 비행을 하라고 말할 거예요

설령 누군가 장난삼아 던진 비아냥에
날개 사이사이 구멍이 난대도
넝마를 자랑처럼 활짝 펴고
닿을 수 있는 모든 꿈에 다 가볼 거예요

내 마음은 충분히 그럴 자격이 있어요
그것이 본디 나를 대하는 나의 자세여야 하니까.

그럴 수 있지, 우리?

약속의 계절 _____

홀로 한 해의 다짐을 다른 한 해로 잇는 계절
함께 지낸 날과 지낼 날을 수다스럽게 나누는 계절
서로 사랑한 날과 사랑할 날을 그리는 계절

눈으로 굳게 덮인 땅 아래로,
외투로 지켜낸 가슴 안으로
제각각의 봄을 약속하는 계절

얼어붙은 손들 잡고 기어이 한 약속이라
더 소중한 계절, 겨울.

초록의 꿈 _____

.

시린 땅 아래 고이 간직하던 초록의 꿈은
봄바람 꺼안아 흐드러지게 춤을 추는 것이었을까

초록은 봄을 사랑했고
봄은 초록을 사랑해서
누구보다 먼저 서로의 마중을 나왔다

봄바람 얼싸안고 추는 얼굴 참 상냥하고
춤이 흘러간 향기 사무치게 짙으니
그래, 이는 오랜 사랑의 모습이다

초록의 파도는
곧 초록의 바다와 초록의 윤슬이 되어
모든 시야에 사랑이 일렁인다.

애틋한 밤

밤이 더 애틋한 이유는
제 자신을 주장하지 않고
곁에 있어주기만 하기에

햇빛처럼 찬란히 존재를 드러내지도,
주변을 깨워 부산스레 하지 않고
그저 밤이라는 존재로 옆에 머물러주기에

햇살보다 따스한 어둠으로 포근히 날 감싸면
난 어느새 밤에게 내밀한 나를 속삭이고 만다

그저 묵묵히 들어만 주는,
그래서 더 애틋한 밤.

햇살은 늘 소중해 _____

햇살은 늘 소중해

나에게도 우리에게도
바질인 너에게도
매미인 너에게도

더 푸르를 수 있는 방법을 주고
더 우렁찰 수 있는 용기를 주니까

늘 우리를 돋우는 존재를 사랑해.

거꾸로 치는 파도가 되어 _____

겉은 부동한대도 나는 늘 출렁였습니다

잊은 듯 외면하려 하였으나
끝내 재우지 못한 파동은 더욱 일렁이고
세월이 보낸 바람은 이를 부추기기만 했습니다

그리하여
이제 난 파도가 되어 섬으로 가렵니다

수많은 난파선들이 모여있는 곳이라 할지언정
내 마음은 이미 거꾸로 치는 파도가 되어
몰아치는 맞바람 사이 비집고 나아가렵니다

난파되면 어떻나요
파도를 보낸 바다는 또 다른 파도를 준비합니다
그곳이 무인도면 또 어떻나요
어디든 닿았다면 그곳은 나의 섬

이윽고 섬은 또 다른 파도로 섬을 찾을 테니까요.

꼬질꼬질한 이름표 _____

우리 어릴 적 얘기를 하는 게
나는 그렇게 좋더라고

옛날 얘기해 봤자
허구한 날 우려먹는 지겨운 얘기라도

너와 내가 기억하는
추억의 구도가 다르니
너와 내가 기억하는
그날의 초점이 다르니

다분히 악질적인 왜곡과 과장도 녹여가며
가끔 실없이 낄낄대는 게
나는 그렇게 좋더라고

옛 친구라는 꼬질꼬질한 이름표가
추억을 사고팔 수 있다는 증표가
내 살아옴이 엉터리는 아니었다고 다독이는 듯해
나는 참 좋더라고.

등으로 만나다 손을 포갠 사이 _____

우리 등으로만 내외하다
비로소 눈으로 만난 사이일지도 모르니

항상 쥐고 있는 손등으로만 마주하다
비로소 손금 마주 포갠 사이일지도 모르니

그러니 우리,
우리 사이를 더 소중히 여겨보아요

우리를 만나게 해 준 우주의 사연을
가벼이 보지 말아요, 우리.

───────────── 비의 장면들

비가 와야만 보이는 장면들이 있잖아요

고이거나 혹은 고이지 못한 것들
그늘을 삼킨 거울이 된 바닥
무채색으로 경계가 무뎌진 세상
그 속에서 피어나 살랑이는 색색의 우산꽃들
미처 준비하지 못한 자의 달음질과
포기한 자의 터벅 걸음

타닥타닥, 투둑투둑
이리저리 깨지는 파편들의 노래
하늘빛 낮추어 들려주는 자장가를 들으며
이미 나는 다음 비의 장면을 기약합니다.

우리가 구름을 사랑함은 _____

우리가 구름을 사랑함은
분명 어릴 적 삼킨 솜사탕이 8할일 테다.

너는 너의 초록을 살아 _____

상록수는 말했다
나도 사실은 변한다고
한결같이 푸르지는 못하다고

푸름에는 정의가 없단다
어떤 것은 바람을 만나 짙푸름이 되고
어떤 것은 비를 만나 검푸름이 되기도 한단다

그저 품으면 된단다
그저 풀지 않으면 된단다,
우리가 쥐고 있는 초록을
우리는 이미 초록이라는 사실을

상록수는 말했다
너도 나도 제각기 온몸으로 빛나는 초록이니
그러니 너는 너의 초록을 살라고.

일방통행

문득 저 도로 위에 근엄하게 드러누운
일방통행이란 글자가 얼마나 매정한지

아니, 잠깐 길을 잘못 들어 뒷걸음칠 수도 있지
지나쳐버린 풍경에 몰래 거꾸로 가볼 수도 있지
샐쭉 혼자 중얼거려보지만
오늘따라 길쭉-하니 늘어붙은 네 글자

일방이라니 참 야속한 단어 아닌가
주기만 하고 받지는 못하는
좀 서글픈 짝사랑 같은 말이지 않은가

그래, 우리는 이미
돌아볼 수만 있을 뿐 돌아갈 수 없는
한치도 물러설 길 없는 일방통행 도로 위,
감히 쉬어가지도 못하게 굴러가는
비정한 트레드밀 위에 있다

다시는 만질 수도, 부빌 수도 없는
지나간 것은 기억이 되는 것이 최선이라
기억이라도 된 것은 소중하다

기억을 다지다보면 다짐이 되고
다짐은 때론 디딤이 되어
우리네 한 발짝 한 걸음을 이룬다

오늘 내린 세찬 비가 저 글씨 좀 씻어보라고
내일 내릴 함박눈이 저 글씨 좀 숨겨보라고
괜히 고까운 마음에 소망하는 오늘.

업는다는 건 _____

내가 누군가에게 업혔던 게 언제였더라-

태어나서는 한동안 매일을 업혀
엄마 등을 그렇게 깨물어댔단다
학교에서 친구끼리 내기에서 이겨 업힌 적 있다
알콩달콩한 호기심에 사랑하는 이에 업힌 적 있다

내가 누군가를 업은 게 언제였더라-

갓 태어난 생명을 업은 채로 재웠다
술에 취한 친구를 업고 우리 집에서 재운 적 있다
사랑하는 이를 업고 언덕을 오른 적 있다

갑자기 어지럽다는 엄마를 업고 병원을 갔다
미끄러져 넘어진 할머니를 업고 응급실을 갔다..

아, 업힘에서 업음으로
누군가에게 업히다 누군가를 업게 된다는 건
등을 마주보다 등을 내어주게 된다는 건
이리도 슬퍼지는 일이었구나.

한강이 주는 간격 _____

한강이 주는 간격에
두 육지가 마주 보는 축복이 있고

한강이 주는 간격에
그 사이를 누비는 휴식을 누리며

한강이 주는 간격에
우리 얼마나 사소의 존재인가 깨달음이 있다

한강이 주는 간격에
누군가는 한참 깊이를 가늠하다
고개를 끄덕이는 시간이 있다.

나와 이방인 _____

미아가 되지 않기 위해 지도를 살피고
입맛에 맞지 않는 음식을 사랑해 보는 일

굳이 당연한 대화와 익숙한 일상을 버리고
낯선 불편을 겪기 위해 하늘길을 나선다

때론 짙은 익숙함의 묵은 때를 벗어던져야
비로소 나를 마주할 수 있는 일이니까

이방인이 될수록 먼 이방인과 같던 나를 만나
겨우 이방인의 티를 벗을 때 즈음이면
이미 다다른 여정의 막바지

이방인이 방인이 될 수는 없는 노릇이겠지
그러니 민망한 말트기는 생략할 정도로만
다음 기약까지 우리,
부디 너무 낯설어지진 않기를.

바다의 말을 듣기 위해선＿＿＿＿＿＿＿＿

바다의 말을 듣기 위해선
파도의 말을 들어야 한다

파도는 메아리일 뿐이어서
멀리서 멀리서 건너오는 동안
바람의 짓궂은 장난으로
분명 왜곡된 적도 있을 테지만

파도의 말을 오ー래 담다 보면
바다의 말이 언뜻 들리기도 할 테니

바다의 말을 듣기 위해선
파도의 말을 들어야 한다.

3부

김마음 · 단상집

살아
진대도

이불킥은 늘 헛발질

못 견디게 창피한 그날
도무지 이해가 안 가는 그 시절
둥글게 둥글게 한 데 모아
땡글땡글 있는 힘껏 뭉쳐
뻥– 차버리면 좋으련만

제 아니어도 부끄러운 삶
기어이 나를 바보로 만들려는 듯
온몸 쥐어짠 발길질에도 데굴데굴–
뒤로, 더 뒤로만 되려 뭉텅이로 굴러오는 것

이불 속에서 대뜸 떠오른 수면 아래의 시간들
아무리 힘껏 멀리 차 보아도
이불킥은 늘 헛발질.

일기오보 _____

며칠째 갑자기 비가 온단다
잿빛 글썽이는 얼굴 가리려 우산을 준비했지만
외려 쨍쨍히 웃으며 놀리는 얼굴

재채기처럼 우산이 근질근질하다
어느새 내가 비가 오길 바란 건지
비가 오지 않길 바랐는지 모르게 되었다

결국 끝까지 멀쩡한 하늘에
이랬으면 밖에서 좀 더 바람이나 맞을걸
괜히 눈치 보는 우산을 툭 쏘아본다

내가 뭘 그렇게 잘못했다고
날 들던 손이 그렇게 무거웠냐고
나를 왜 매번 찾기만 하고 원망만 하냐고

그래, 누구도 그렇게 대해선 안되겠다―
괜스레 의미 없는 독백을 던진다

차라리 에취 시원하게 왔으면 뭐가 달라졌을까
생각해 보니 난 비가 오길 바랐다
내 귀에는 이미 타닥타닥 빗소리가 그려졌는데
그 풍경이 오지 않은 게 괜히 서운해서 그래.

흔들림의 이유 _____

이토록 흔들리는 건 부러지지 않기 위해
부단히 넘어지는 건 무너지지 않기 위함일 테다

이토록 바람이 억센 날은
그동안 우리가 미처 알지 못한
바람의 모든 건너편,
삶의 온 방향을 나에게 보여주려 함이다.

세월의 이스터에그[*]

몇 해를 보태어야 보이는 언어들
나이가 들어서야 들리는 노래들
세월을 부단히 걷고서야 걷히는 감정들

이 모든 건 인생 줄 위
나도 모르게 주머니 속 만져지는
인생의 이스터에그.

*프로그램 개발자가 제품 속에 숨겨 놓은 재미있는 것들이나 깜짝
놀라게 하는 것들

시계에 시간을 가두어 _____

시계의 침을 멈추다 못해 떼어내어
시간의 닻으로 쓰고 싶은 순간들
시간의 걸음 앞에 아무리 덫을 놓아봐도
시간은 이내 훌쩍 넘어가버린다

시간은 늘 달리기에
인간은 시계라는 운동장에 가두었다

출발과 끝을 모르는 건 우리일 뿐,
시간은 끝없는 원을 달리고
우리는 12라는 원점으로 스스로 최면을 건다

가두었기에 얼마나 오래 달렸는지 알 수 없다
어쩌면 모르기 위해 가두었는지도 모르지

오늘,
지나가는 계절이 비밀처럼 세월을 속삭이기에
문득 바라본 원형시계.

애초에 가두어질 수 없는 시간 속
거꾸로 가두어진 우리를 보았다.

고마워, 겨울 _____

겨울은 남몰래 한 한숨조차
눈에 띄게 만들더라
다른 계절은 그저 모른 척해 주던데

하늘에 멀리 뱉어버리다
지나가는 입에서 뿜는 숨의 모양들을 본다

호흡이었나 한숨이었나
그저 하얗고 몽글하다 불꽃처럼 흩어지는 것들

아, 어쩌면
모두의 숨결에 물감을 풀어 놓아
내 한숨 묻히도록 숨겨준 배려였을지도

모든 숨의 깊이와 무게 도통 알 수 없게
고른 색 입혀 날려준 친절이었구나

오늘 내 검디검은 한숨도
하얗게 하얗게 덮어주어서

고마워, 겨울.

빛을 향한 기도 _____

빛을 바라보며 간절히 기도했다

나,
부디 빛을 좇는대도
눈 뜬 채로 눈이 멀지 않기를

잔상만 남은 시선이 나의 방향이 되지 않기를

빛을 좇다 끝내
빛을 잃어버리지 않기를.

잡아주세요

축 처진 마음을 어디 걸어둘 길 없어
뻗은 손잡이에 온몸을 늘어트리는 사람들

나는 온종일 사람들의 무게를 느껴요
하루의 시작과 끝에
가까스로 날 붙잡은 이들인데

잠깐 버텨주는 것만이 유일한 일일뿐
체중을 나누었다고 해서
감히 그 마음까지 나눌 수 있겠나요

단지 그 짧은 순간으로 내는 생색은 아니지만
분명히 그 무게로만 전달받을 수 있는
마음이 있었어요

－

잡아주세요

난 생각보다 다친 마음이에요
난 오래토록 해진 마음이에요
난 미련토록 잡힌 마음이에요

그러니 부디 이런 나를
잡아주세요.

나를 가장 모르는 사람 _____

나를 단정 짓는 것이
이제는 무서워지더라고요
치기 어렸던 분석이
몸서리치게 부끄러워지더라고요

그리도 꼿꼿하던 잣대가 무자비한 바람에
점점 휘기도, 투둑 반 토막으로 쪼개지기도
한낱 실바람에도 파르르 떨리기도
심지어는 꺾여버리는 날도 있었어요

그런 바람의 날들 중 어느 날,
나를 향해 열려 있던 창을 닫고 있는 나를 보았죠
바람을 맞지 않는 게 낫다 생각했던 모양입니다
그 후론 나는 나를 잊은 듯 보려 한 적 없었어요

풍랑이 조금은 사그라진 어느 날,
그제야 궁금해진 나에 대한 마땅한 답을 위해
다급히 열어보려 한 창은 눅눅히 굳어버린 경첩에
당최 열래야 열 수가 없더군요

이젠 벽이라 고백하는 문 앞에
우두커니 남겨지고 나서야 깨달았습니다

문을 닫은 순간 그곳은 동굴이었다는 것을,
암흑에서는 그 어떤 존재도 짐승이 된다는 것을,
빛을 잃은 짐승은 어둠만을 먹고산다는 것을

그러고는 어느덧
내 세상을 가장 당당히 말하던 나는
내 세상에 대해 가장 모르는 사람이 되었더라고요

언제부터였을까요
답을 잃고 떠도는 질문들만
매 노을마다 밀물처럼 밀려옵니다

나는 누구일까요.
내가 나이긴 한 건가요.

노을은 분명 마음의 녹는점을 아는 듯 _____

노을은 분명 마음의 녹는점을 아는 듯

그렇지 않고서야
매일의 엉겨 붙은 가슴
매번 이 시간만 바라보게 만들다니요.

엿듣는 위로 _____

쏴아아아ㅡ 쓰으으ㅡ
백사장과 이를 쓰다듬는 파도의 말
그들만의 언어로 주고받고
우리는 알아들을 수 없는 대화를 엿들어
알 수 없는 위로를 건네받는다

쏴아아아ㅡ 쓰으으ㅡ
백사장과 이를 어루만지는 파도의 말
그 속에 분명 우리의 이야기도 있을 거야.

달 _____

늘 그 자리에 있지만 숨어지내다
우리에게서 어둠을 몰아내려는 듯
온 세상 어스름 질 즈음이면
우리를 따스한 빛으로 지켜주는.

늘 고개 젖혀 한숨 뿜은 시선의 자리에서
우리에게서 근심을 몰아내려는 듯
하루의 페이지 눅눅히 넘기고 돌아오는 길
우리를 매일의 표정으로 달래주네.

무중력 속에서도 기어이 _____

휴식조차 피하던 적이 있어
일상을 놓아버린 그 찰나조차
잡을 것을 찾아 허우적댈까 봐

그 무중력 속에서도 기어이
너를 또다시 움켜쥘까 봐.

함부로 무너지지도 못하는 거였네 _____

짓는 것보다 부수는 게 더 어려웠어

건물은 한순간의 폭발로 폭삭 주저앉기도 하던데
구조의 중요한 부위에 폭약을 설치하면
한순간에 와르르 무너지기도 하던데

우리에게 중요한 부위는 어디일까
과연 중요하지 않은 부분이 있긴 한 건가
우리를 견고히 버티고 있는 취약부위는 어디인가

철근과 콘크리트처럼 영영 얽혀버린 것
녹여내지 못하면 그대로 엉켜있는 것

우리가 이루다 만 이 골조는
너를 완전히 버리지 못하면,
너라는 기둥을 놓지 못하면,
함부로 무너지지도 못하는 거였네, 나는.

파도를 동정하게 되었다 _____

가만히 보고 있노라니
파도를 동정하게 되었다

파도의 마지막 거품이
마치 끝까지 닿으려는 손길 같아서

아니, 어찌 보면 무언가로부터 벗어나려
어떻게든 뿌리치는 몸짓 같기도 해서

무엇에 걸려 넘어지는지
무엇이 잡아당기는지
다시, 다시, 또다시
제자리로 미끄러지는 게

그럼에도
또다시 비집고 삐져나오는 게
참 나 같아서.

바다도 제 민낯이 부끄러울까 _____

달이 잡아당기는 탓에
감춰 온 바다의 피부가 드러나는
곰보 투성이의 시간,
바다도 제 민낯이 부끄러울까

누군가에게는
무수히 쪼개진 거울로 유리 빛 하늘을 담은
두고두고 간직하고픈 절경인 것을

나 같은 사람은 그 장면을 위해
굳이 저 멀리서도 찾아온다는 것을

드러나야만 황홀한 속내는
오른 얼굴에는 없는 왼 얼굴의 매력이라는 것을

바다는 알까.

나는 알까.

모든 바다에 등대가 있듯 _____

육지의 끝 혹은 바다의 시작
이곳을 떠나 길을 잃은 자들,
저 간절한 등대로 모이자

우리 어떤 모습이든, 어떤 몰골이든
돌아와도 된다고, 안길 곳은 여기라고
사방에 빛으로 고요히 부르짖는다

모든 바다에 등대가 있듯
우리의 바다에도 틀림없이 등대는 있음을

어디서 어떻게 얼마나 길을 잃든
빛으로, 빛으로만 다가온다면
그댈 서럽게 서럽게 찾는 등대 하나
반드시 만날지니

부디 무너지지 마라
주저앉아도 되니 침전되지는 마라
칠흑이 전부일지라도 부디 빛을 잊지는 말아라

모든 이의 바다엔 늘 기도하는 등대가 있음을
나 또한 네 바다의 한 등대임을.

반복된 부정의 끝엔 _____

되지 않는 위로에 되지 않는 나의 대답은
목구멍에서 입 밖으로 내뱉어지는 중에도
수없이 고쳐지며 굴러떨어진다

나는 아무렇지도 않지 않지 않지 않지 않지 않지
않아요.

강한 부정은 긍정이 된다는데
반복된 부정의 끝엔
긍정도 부정도 아닌 무엇이 남으려나

이도 저도 아닌 마음이 아니었는데
이도 저도 아닌 말이 되어버리는

오늘도
나는 아무렇지도 않아요.

감기

또 걸렸다.
계절과 계절 사이의 틈
소홀했던 육신을 기필코 알아챈 감기

감기엔 약도 없다지
불치병이어서가 아니라
계절에 부대낀 이들이 이따금씩 맞는 소나기라서
그저 처마 아래로 잠시 피하는 수밖에

그저 지독한 열병은 아니기를
그렇게 또 언제 제대로 나았는지도 모르는
불분명한 몸으로 살아간다

며칠 후면 괜찮겠지 –
지금이 감기의 어디 즈음인지
어떻게 지나는지 이미 아는 우리니까
조금은 덜 불안한지도 모르지

그래,
지금 앓는 이 감기는,
거칠었던 숨, 무거웠던 머리는
잠시 우산 아래 머물다 보면
고작 계절을 버텨낸 흔적일 뿐
불분명할지라도, 지내다 보면.

4부

김마음 · 단상집

사
랑
하는 건

그것은 시가 된다 _____

지나간 강에 미끼를 던져
한참을 잊은 듯 입질을 기다리다
턱 걸리는 마음을 건져내곤
축축 머금은 물기를 널어 꼿꼿이 말려내면
그것은 시가 된다

다시 말하자면
가슴에 낚시를 던지고
건져낸 마음을 널어놓으면
그것은 시가 되고
그중 가장 무겁게 딸려온 마음은
꾹꾹 펼치고 나면
종종 그대가 되어요.

사랑을 하면 숨소리가 나던데 _____

바람과 수풀이 사랑을 하면 숨소리가 나던데
바다와 모래도 사랑을 하면 숨소리가 나던데

평안만이 줄 수 있는 부드러운 숨결
일정한 리듬, 포근한 소리, 둥근 간격

너 한 번, 나 한 번, 너 한 번, 나 한 번
그러다 겹치듯 한 번
우리 사이 스치는 숨소리를 들어보니
우리, 사랑인 것 같아.

사랑은. _____

너와 나 모두 허울뿐인 세상 속에서
나를 거울처럼 비추어 주는 이가 있다는 것
너를 통해 정작 나를 마주 보게 되는 일
기꺼이 서로의 반영이 되는 것
사랑은.

반질반질해질 때까지 어루만지고 매만지다
반복되는 혹독한 열기와 한기를 지난 탓에
걷히지 않는 서리가 묻어
탁해진 그곳에선 더 이상 나를 찾을 수 없을 때
홀연히 발걸음을 옮기기도 하는 일
사랑은.

나는 지금 그대를 어떻게 비추고 있나요
나는 그대의 온전한 거울이 되고 싶어요
감히 영원히 그대가 맺혔으면 해요
끊임없이 어루만지고 매만지며.

이유가 없어요

사랑하는 것들에
그 이유를 캐묻지 않기로 했다
사랑한다는 것은
그 이유를 망각하는 일이었기에

고로 언제부터 사랑에 빠졌는가
왜 사랑을 하게 되었는가는
영영 알 수 없는 미스터리일 것이다

사랑한다는 것은
그 이유들이 무색해지는 일이다
아니, 이미 그 이유는 무색해진 일이다

그러니까 다시 말하자면,
나는 영문도 모른 채
당신을 사랑하고 있다는 말이에요
이렇게 대책 없이 행복한 말이 있을까요.

보랏빛 사랑

붉음의 끝이 꼭 검은 것만은 아니지
차마 흩어지지 못한 보랏빛 잔열,
어쩌면 그 끝을 잊은 색이 될 수도 있지

고유의 온도와 색으로 남은
그을리지 않는 보랏빛 온기가 될 수도 있지

그렇게 그리워하다 보면
영영 어둠은 아닐 수도 있지.

기어코 반짝이고 마는 _____

윤슬.

버리고 버렸어도
기어코 떠오르고 마는
심연에 버렸어도
기어코 반짝이고 마는

하늘과 바다가 윤슬로 만나는 곳
그 무경계의 경계로
그곳이면 더 이상 떠밀려오는 일은 없을 거라며
얼마나 한참을 밀고 또 밀어 너를 보냈던가

그때부터였을까

무심코
바다의 은하수를 따라 걷다 보면
너와 내가 살던 우주에 닿을 때가 있어.

그대가 사라진 계절에 그대를 살아요 _____

점점 흐려지는 계절의 경계
경계가 무너진 계절을 살아요

그 어떤 계절도 이젠 온전하지 못해요
우리는 허물어진 계절을 사는 거죠

그대가 사라진 계절도 뚜렷하지 않았어요
여름이 침범한 봄 그 어느 즈음이었을 뿐이죠

그렇게 사라지는 계절을 살다 보면
일 년에 한 번은 그대가 사라진 계절을 살아요

그렇게 그대가 사라진 계절을 살다 보면
한동안을 사라진 그대를 살아요

그렇게 사라진 그대를 살다 보면
내 안엔 허물어지지 않는 계절이 있음을 깨달아요

이겨내지 못한 시간의 탓인지
떨쳐내지 못한 마음의 탓인지
사계절 내내 온전한 겨울을 사는 마음이 있었음을.

영원을 위해 안녕 _____

영원을 속삭이던 것들은
때론 영원을 약속하기 위해
마땅한 안녕도 없이 사라지기 마련이지

그 어떤 완벽한 작별도
영원을 단절시키지 못한다는 걸 아는 듯이 말이야

우리도 그런 이별이었나
너는 내게 영원해지기 위한 미완의 안녕이었나.

꿈의 장소 _____

이곳에선 꿈을 꾸어도 이곳이었다.

낭만의 진실

낭만은 우리의 외투와 관련된 걸지도 모른다

나를 가두는 줄도 모르던 것들 하나하나 털어내고
달궈진 자연과 온전히 살을 맞대는 그 지점

여름은 그런 우리를
과감히 바다에 뛰어들게 하니까
여름은 그런 우리를
열렬히 노래하게 하니까

실은 꽁꽁 숨겨두고 있던 것
낭만은 여름을 만나 비로소 기지개를 폈다

오늘 우리의 낭만이 흐드러진 건
꼭 여름을 닮은 너를 만나서야.

너를 숨겨둔 노을

오래된 우체통
그 노을 속에 고이 접어 날려보내는 이가 있고
그 노을 속에서 한 줌 한 줌 주워 담는 이가 있다

오래토록 숨겨두다
잃어버린 것들이 얼마나 많은가
오래토록 숨겨두면
숨겨둔 사실마저 잃어버리게 되는 법

너를 숨겨둔 노을
오랫동안 두었다가
하마터면 너를 잃어버릴 뻔했다

노을,
누구를 이토록 오래 두었길래
발갛게 발갛게 속으로만 익었는가
꺼지지 않을 장작으로 남은 그대여
발갛게 발갛게 숨죽여 타오를 그대여.

노을과 어스름이란 단어를 좋아합니다 _____

노을과 어스름이란 단어를 좋아합니다

노랄 즈음이라서 노을인지
어슬해질 즈음이라 어스름인지
잘 알지 못하지만

명확하지 않은 밝음과 어둠 사이
그 사이의 모든 시간과 장면을 담고 있어서,
–즈음이라는 얼버무림을 담은 것 같아서

아마 그 부근의 촘촘한
색들의 향연
온도의 맞바꿈
공기의 뒤바뀜
이 많은 걸 욕심스레 담으려 했던 걸까요

그런 탐욕이라면 난 얼마든지 좋습니다

단어만 봐도 피어나는 모든 광경이 있어서
나는 노을과 어스름이란 단어를 좋아합니다.

시간의 정적과 공간의 적막의 겹침 _____

밤과 새벽 사이 고즈넉한 카페,
시간의 정적과 공간의 적막이 겹치는
그 교집합 어디 즈음

내 안에서

그대를 만나고 계절을 느끼고
곁에 있는 이들을 생각하며
땅과 하늘 틈에 머무는
모든 움직임들을 되새긴다

그렇게 나는 오늘도
교집합이 벌여놓은 나의 세계에서
그 모든 것들을 정말 사소하게 훔쳐보고 왔다.

놀이터의 마음 _____

너는 우리에게

약속이자 만남
첫사랑과 마주 잡던 손
부모님은 모르는 학교 땡땡이
친구 놈과 장난으로 시작됐던 싸움
사람 피해 서글피 흘리던 은밀한 눈물
아들놈에게 가르쳐 주던 첫 그네와 미끄럼틀

이 모든 것들을 다 지켜본 넌
얼마나 흐뭇했을까

우리네 할머니의 마음이었겠네.

파스타가 좋아

파스타 속에선
모든 재료가 살아 숨 쉬어

올리브오일
방울토마토
마늘
후추
파슬리
파스타 면

하나하나가 하나로 엉키되 각자로 있고
누구 하나 서로를 덮으려 들지 않아
어느 하나 아무런 악의도 없지

우리도 이렇게 함께 버무려져 있다면,
엉킨대도 밀쳐내지 않는 마음이라면
사랑스러운 알리오 올리오 향이 날 지도 몰라

다투려 않는 향긋함과 산뜻함과 고소함이라니
그래서 난 파스타가 좋아.

*축복에게 _____

조심히 안아보자
갓난 생명의 생동감이 품에 전해진다

지금도 온몸 구석구석 꿈틀대며
숨 가쁘게 성장하고 있는 너에게
이제는 더 자랄 것 없는 나는
어떤 사람이 되어야 하는가

너에게 내가 자랑이 되려면
아니, 부끄럼이 되지 않으려면
나는 어떤 모습으로 살아야 하는가

너를 품어 나도 모르게
기도하듯 무릎 꿇어 소리 없이 참회하다가

아, 내가 누구로 사느냐의 문제가 아니구나-
작은 너에게 큰 사랑을 가르쳐 주는 사람이면,
사랑은 마땅히 받아야 하고
그 사랑은 다시 곁으로 흐르게 해야 한다는 걸
일깨워주는 사람이면 되겠다

너는 애초에 사랑으로 태어났으니
내가 사랑의 최초 공여자는 아니어도
첫째 못지않은 몇 번째의 사랑을 채워주겠다고

꼼지락거리는 생명의 경건함 앞에
한 치도 안 되는 새끼손가락을 바라보며
조용히 마음의 손가락을 걸었다.

*얼마 전 태어난 조카의 태명

물속의 너에게 _____

네가 있는 곳은 우물이 아니다
네가 있어 진정 그곳은 바다다

너의 찬란함은 바다만이 담을 수 있으니
부디 너의 미련함을 우물로만 여기지 않기를

끄덕이듯 유영하는 너를 보았다
수족관 유리 속 흐릿한 나를 보았다.

시를 쓰는 마음으로 _____

요란하게 외기보다
늘 마음속에 품는 삶이
내겐 온전한 기억의 방법이다

시를 쓰는 마음으로
사랑하는 이들을 새겨 놓으면
어느 일시와 장소에서도
은연히 느낄 수 있다

시를 쓰는 마음으로
그대들을 조목조목 마음에 두고
추상과 은유로 다시 꺼내어 보기에
나는 한 아름 더 따뜻하다

오늘은 노을에서 그대가 빛나길래
그대를 적어두었어요
매일 돌아오는 길 마주칠 수 있도록.

사라진대도 살아가는 건,
살아진대도 사랑하는 건 _____

사라진대도 살아가는 건,
살아진대도 사랑하는 건 나의 몫이야.

맺으며,

조롱의 노래 _____

조롱을 조롱하듯
난 오늘도 시를 써야지

이렇게나 망가져 버린 마음들
오래토록 감정의 문고리를 잡고
꽤나 느긋이 그 문턱 넘고선
다정한 마음들을 노래해야지

읊조림보다는 또렷함을 원하는,
머뭇거리면 지나쳐버리고
진지하거나 수줍으면 조롱하는 이곳에서

그 속에서도 혹여
두근거림보다는 딜컥거림을 찾는 이들을 위해
스쳐감보다는 짓눌림을 사랑하는 이들을 위해

오늘도 난
조롱을 조롱하듯 시를 노래해야지.

김마음 두 번째 단상집

가장 무거운 마음은 시가 되고 종종 그대가 되어요

ⓒ김마음 2023

초판 발행 2023년 12월 22일

지은이 | 김마음
사　진 | 김마음 (@maumxscenes)
표지 디자인 | 백시명
내지 디자인 및 편집 | 김마음

발행처 | 인디펍
발행인 | 민승원
출판등록 | 2019년 1월 28일 제2019-8호
전자우편 | cs@indiepub.kr
대표전화 | 070-8848-8004
팩　스 | 0303-3444-7982

정가 13,000원
ISBN 979-11-6756444-3 (03810)